小鱼劳拉历险记

王坤／著　马亮　肖铮／图

首都师范大学出版社
CAPITAL NORMAL UNIVERSITY PRESS

小鱼劳拉和妈妈住在一条清澈的小河里。他每天怡然自得地在水中游来游去，玩得不亦乐乎，过着自由自在的生活。

夏天的一个清晨，河面上波光
粼粼，劳拉正和小伙伴辛迪开心地玩捉迷
藏，他俩谁都没留意渔夫亨利划着船来到
了这片水域。

亨利收起船桨，将船慢慢停了下来。他把船舱里的一张旧渔网撒向小河，当渔网再次被拖出水面时，劳拉和辛迪都失去了自由。

他们和其他鱼儿一起被倒入蓄着水的船舱里。辛迪急得哭起来："劳拉，咱们该怎么办呀？"劳拉安慰他："别哭，咱们还是赶紧想办法，争取从这里逃出去。"

望着敞口的船舱，劳拉说："如果能从这儿蹦出去，咱们就有机会回到小河里。"但就在他们起跳的瞬间，渔夫亨利恰巧用一块木板盖住了舱口。只听"咣、咣"两声，他俩的额头重重地撞在了木板上。

终于等到木板被掀开，亨利却把再次打捞上来的鱼儿倒进了船舱，劳拉和辛迪还是没有机会跳出去。

临近中午，原本风平浪静的河面上，忽然被风吹起了阵阵涟漪，就连空中也聚集了大片的乌云。要下暴雨了，亨利急忙收起渔网，将船划向码头。商贩们早已在岸边等得不耐烦，亨利将鱼卖给了"碧波海鲜市场"的采购员。

辛迪忧心忡忡地对劳拉说："要是咱俩被海鲜市场的顾客买走，估计很快就会变成红烧鱼。"劳拉还没来得及回答，就被采购员从船舱里捡起，扔进了鱼篓。

转眼间，乌云布满了天空，采购员焦急地催促着工人们："抓紧点时间，下雨前要把鱼篓都搬到车上去。"可他的话音未落，暴雨就"哗"的一声，铺天盖地从天空中砸下来。工人们不再理睬他的吆喝声，纷纷停下手里的活计，跑去躲雨。

瓢泼大雨浇在劳拉和辛迪身上，他们又能自如地呼吸了。劳拉悄声对辛迪说："咱们应该趁现在没人注意，赶紧从鱼篓里逃出去，这可是难得的机会。"

被压在他们身下的鲫鱼，大口喘着粗气说："你们俩个消停些吧，刚才在船上我就注意你们了，到了这里，一个都跑不掉的。""是呀，去年我爸爸就是在这个码头被带走的，再也没有回来过。"一条小白鲢难过地说。

劳拉坚定地说："大家千万别气馁，现在机会来了，有想跑的，和我们一起努力吧。"说完，他拉着辛迪一起用力往鱼篓外蹦，一次、二次、三次，他们终于成功了。

在车里躲雨的采购员，无意中从后视镜里看到蹦出来的劳拉和辛迪。他冒雨把两条小鱼又拣了回去。辛迪沮丧地叹着气："算了，也许我们真的逃不脱厄运。"

　　刚才一直沉默不语的胖头鱼大叔，这时鼓励他们："为了争取自由，这点挫折又算什么呢？大不了你们再蹦一次，只要不轻易放弃，就一定有机会。"

胖头鱼大叔招呼大伙："来吧，咱们助他们一臂之力。"
终于在大伙齐心协力的帮助下，筋疲力尽的劳拉和辛迪被抛
出了鱼篓。

　　他们趴在雨水汇集的水流中，虽然身上摔得青一块、紫一块，心里却无比喜悦。劳拉咧着嘴说："再坚持一下，只要咱们沿着地上水流的方向前进，就能回到河里。"

河岸边的小石块，经过雨水的冲刷，从藏身的泥土里纷纷露出来，劳拉和辛迪身上的鳞片被凹凸不平的地表刮得伤痕累累，鲜血直流。

雨还没有停下来的意思，房顶、公路、河面，都笼罩在一层白蒙蒙的水雾中，劳拉眼前的一切都变得模糊不清。幸好，他耳边不时传来的流水声，时刻提醒着他，小河已经不远了。

劳拉和辛迪终于看到了离家最近的那簇芦苇丛。并在河边巧遇小水蛇阿雅，阿雅如释重负地问他们："你们究竟到哪里去了？大伙正在到处找你们呢。"

劳拉讲述了他和辛迪的遭遇，并请阿雅想办法帮忙营救被困的同伴。雨这时淅淅沥沥变小了，劳拉担心天空放晴后，胖头鱼大叔他们都要遭受灭顶之灾。

阿雅信心满满地说："没问题，你们就放心吧。"他唤来其他水蛇一同游上岸，用灵巧的尾巴拴住鱼篓把手，然后用力往前拉，鱼儿们终于从被拽倒的鱼篓里逃了出来。

守护在河边的劳拉和辛迪招呼大伙赶紧朝河里游，鱼儿们有的拼命扭动身子，蜿蜒前行；有的划动着有力的双鳍，拖着身体疾走，大家都特别珍惜这来之不易的自由。

雨渐渐停了。重获自由的鱼儿们看着采购员气急败坏的样子，别提多开心了。劳拉在危难时刻凭借不放弃、不退缩的坚强个性，终于为自己和同伴们迎来了新生。